VALÉRIE FON'

Aventure dont tu es l'auteur

Le bruit

Émilie Ruiz

Catalogage avant publication de Bibliothèque et Archives
nationales du Québec et Bibliothèque et Archives Canada

Fontaine, Valérie, 1980-

Le bruit

(Aventure dont tu es l'auteur)
Pour enfants de 6 ans et plus.

ISBN 978-2-89709-065-4

1. Livres dont vous êtes le héros. I. Ruiz, Émilie, 1986-   II. Titre.
III. Collection : Fontaine, Valérie, 1980-   . Aventure dont tu es l'auteur.

PS8611.O575B78 2016   jC843'.6   C2015-942327-9
PS9611.O575B78 2016

Écrit par Valérie Fontaine
Illustré par Émilie Ruiz

Dépôt légal : Bibliothèque et Archives
nationales du Québec, 2e trimestre 2016
Imprimé au Canada

Gouvernement du Québec - Programme de crédit d'impôt
pour l'édition de livres - Gestion SODEC

Boomerang éditeur jeunesse remercie la SODEC
pour l'aide accordée à son programme éditorial.

www.boomerangjeunesse.com

Bonjour, cher collègue !

Je te connais un peu et je sais que tu aimes lire. Pourtant, il est parfois difficile de trouver un livre dont le style te plaise. Certains jours, tu cherches une histoire d'amour, d'autres fois, une histoire qui fait peur (mais pas trop). Félicitations ! Tu as entre les mains le livre qui pourra te donner en tout temps ce que tu recherches. Tu n'auras qu'à choisir la voie qui t'attire le plus et tu auras un livre écrit pour toi, comme si tu en étais l'auteur. En effet, les prochaines pages vont te permettre de créer une aventure amusante, effrayante ou surprenante, car c'est à toi de décider ce qui arrivera à David, le personnage principal.

Lorsque tu verras cette image, au bas de la page :

ce sera à toi de diriger l'histoire. Tu pourras choisir entre les deux suites proposées.

Amuse-toi bien et réinvente ton histoire plusieurs fois, selon tes humeurs !

David est blotti sous ses couvertures. Les images de sa journée s'envolent tranquillement et laissent place au calme de la nuit.

4

Soudain, son cœur manque un coup et sa respiration s'arrête. Il tend l'oreille. S'il fait bien attention, il entend un bruissement léger qui perce le silence. Le son s'accentue, tellement que David peut maintenant appeler ça un bruit. Mais quel est ce bruit?

Le bruit provient de l'extérieur de la maison? Va à la page 6.

Le bruit provient de l'intérieur de la chambre? Va à la page 8.

Le bruit provient de l'extérieur. David n'ose pas relever le rideau. Il tremble de peur et se cache sous ses couvertures. Il sait bien que celles-ci ne sont pas d'une grande protection, mais, pour l'instant, il ne peut pas faire mieux.

Il n'ose pas appeler ses parents. Il a 10 ans, il doit être courageux. Il se lève, inspire profondément et tire le rideau.

Ce n'était que ça ?
Va à la page 9.

7

C'est vivant ?
Va à la page 10.

David allume la lumière. Il a moins peur. Le couinement recommence et ce son lui rappelle quelque chose. Ses yeux fouillent la chambre. C'est difficile de percer le mystère avec tout ce désordre qui encombre le plancher. Il se promet d'écouter sa mère la prochaine fois qu'elle insistera pour qu'il fasse son ménage. Le son reprend. David croit maintenant savoir ce que c'est !

C'est une crapule ?
Cherche-la à la
page 12.

8

C'est un bidule ?
Découvre-le à la
page 14.

TIC TIC TITIC...
TIC TIC TITIC...

Ses yeux percent la nuit. Lorsque le son se fait entendre, il en trouve la cause immédiatement. Une branche frotte contre la vitre et tape à un rythme régulier. Tic tic titic… Tic tic titic… David se recouche et tente de s'endormir malgré le claquement.

Pour un choix qui a du rythme, danse jusqu'à la page 15.

Pour un choix qui décoiffe, vole jusqu'à la page 16.

Une silhouette se promène près de la maison! Difficile de trouver l'identité du rôdeur, car il fait noir comme chez le loup. Tout ce que David sait, c'est que la menace se rapproche de la fenêtre de sa chambre.

C'est un _ _ _ eur,
va à la page 18.

C'est une _ _ _ euse,
va à la page 20.

11

CHERCHE ET TROUVE

- un Martien
- un beigne entamé
- des sous-vêtements
- un examen raté
- une plante carnivore
- une petite sœur cachée
- un attirail d'espion (3)
- deux photos de filles
- un cerf-volant
- un dentier
- une araignée
- un livre
- un robot

Pour une petite sœur
étincelante, surprends-toi
à la page 28.

13

Pour un mode d'emploi
contre les indésirables,
consulte la page 29.

David observe son robot. Celui-ci n'a pas l'habitude de bouger. Pourtant, il marche et s'avance vers lui ! David ne sait plus s'il doit se réjouir ou hurler. Les yeux du robot le fixent de leur lueur rouge. Il ne semble pas bien amical. Il se rapproche de plus en plus en émettant des grincements menaçants.

JEUX

CRIII... CRIIIIC!

Pointage : 1-0 pour David, bondis à la page 30.

14

Pointage : 1-0 pour le robot, écrase-toi à la page 32.

Agacé, David se relève et ouvre la fenêtre pour dégager la branche. Le vent le fouette au visage. Peine perdue, le bout de bois est coincé. Déterminé à dormir, David enfile une veste et sort régler son problème. À l'extérieur, il constate qu'il n'y a pas seulement sa branche qui produit des sons.

15

Suite à la page 22.

MAMAAAAN!
PAPAAAAA!

Le bruit devient de plus en plus insistant. La fenêtre vibre. Le mur tremble. La maison grince. David sent soudain qu'elle se déracine et quitte la sécurité du sol. Il pense alors que c'est un excellent moment pour appeler ses parents à l'aide!

17

Suite à la page 24.

Selon sa carrure, David est certain
que le rôdeur est un homme. Avec son
gros sac et son manteau sombre, il
croit même avoir affaire à un voleur!
Le suspect passe devant sa fenêtre et se
dirige vers la porte, qu'il débarre sans
peine. Ce doit être un voleur spécialisé
en ouverture de portes...

Pour une fin digne de la vraie vie, va à la page 26.

Pour une fin digne d'un superhéros, fonce à la page 27.

Le visage du
rôdeur se précise.
Le « il » devient
« elle » et la rôdeuse
devient… Béatrice !

20

Mais que peut bien faire sa copine
de classe chez lui au beau milieu
de la nuit? David ouvre la fenêtre.

21

Suite à la page 36.

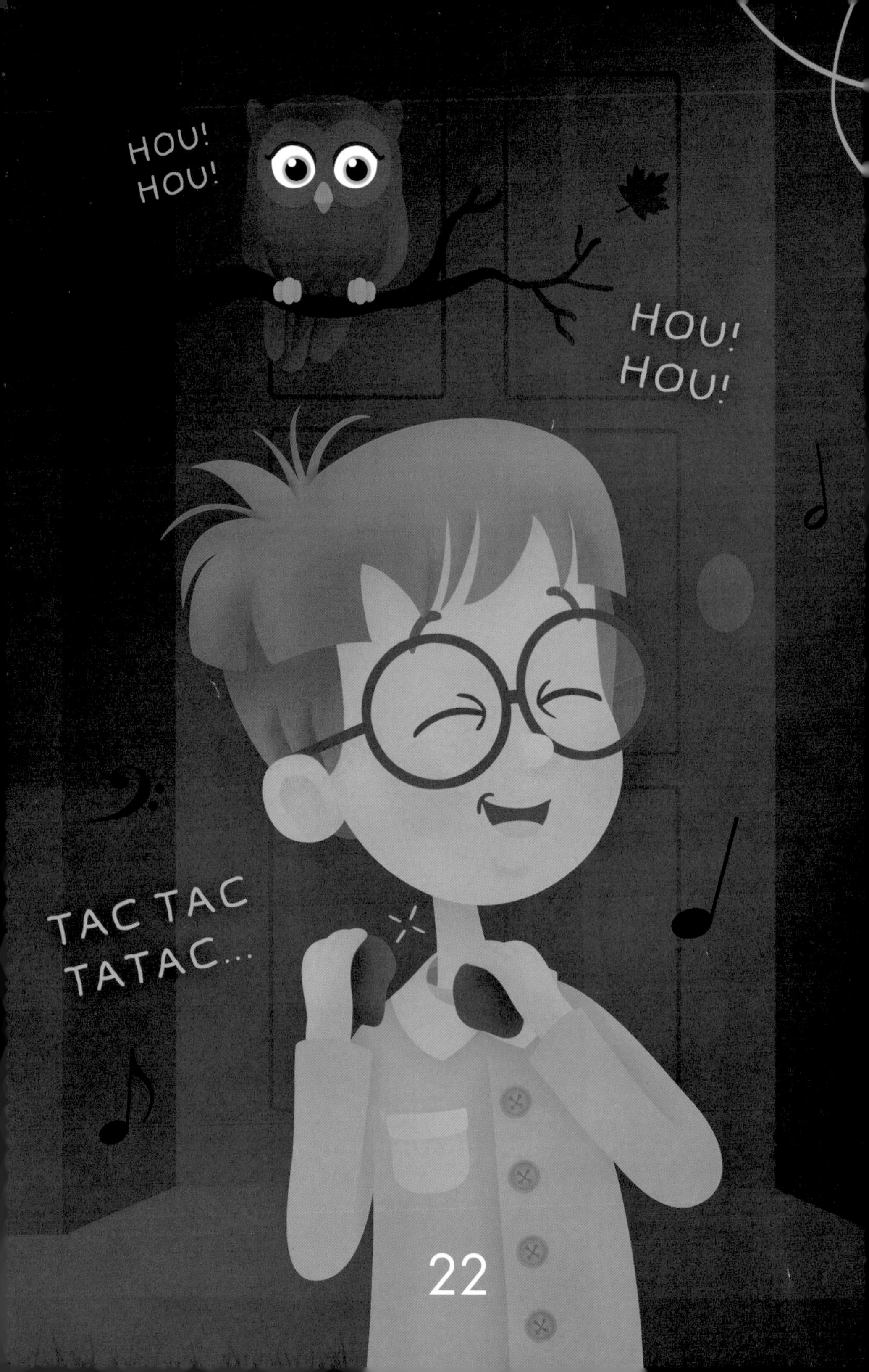
HOU!
HOU!
HOU!
HOU!
TAC TAC
TATAC...

CHHHHHH...
CHHHH...

TIC TIC TITIC...
TIC TIC TITIC...

Les feuilles bruissent. Chhhhhh... Chhhh... Les brindilles craquent. Cric! Crac! Un hibou hulule. Hou! Hou! Inspiré, David ramasse quelques roches et prend part à la musique en les frappant ensemble. Tac! Tac! Tatac! Si les voisins tendent l'oreille, ils entendront un concert improvisé s'élever dans la nuit. Chhhh... Tic! Tac! Hou! Hou!

FIN

Une maison est tombée du ciel et a atterri dans les champs de monsieur Côté. Voici son témoignage :

Quand la maison est tombée, il mouillait pas mal. Un jeune est débarqué avec ses parents. Je vous jure, ils étaient même pas maganés.

Ils disent qu'ils viennent du futur. Les gens les croient pas pantoute, mais moi, je les crois. Vous devriez voir, ils ont toutes sortes de patentes que j'ai jamais vues. Je ne suis pas un raconteux !

Je vais même les aider à retourner d'où ce qu'ils viennent !

FIN

Pétrifié, David craint le pire. Il est surpris d'entendre le voleur enlever bruyamment ses chaussures et aller fouiller dans le frigo. Le garçon se lève et jette un œil à la cuisine. Son père est là, se servant un verre de jus. Son sac de sport est déposé sur le plancher. Soulagé, David sort de sa cachette.

PAPA! POURQUOI ES-TU PASSÉ PAR L'ARRIÈRE?

J'AI LAISSÉ MON ÉQUIPEMENT SUR LE BALCON POUR LE FAIRE AÉRER. TU NE DORS PAS?

FIN

David est fâché. Le voleur se dirige vers sa télé-top-techno-du-millénaire, une des seules du quartier. Il lance ses bolas avec agilité. Ses leçons auront servi à quelque chose ! Le vacarme réveille les parents de David qui sont surpris de trouver l'inconnu ligoté dans leur salon. Les policiers n'ont plus qu'à l'emmener ! On félicite David, le héros de la soirée !

FIN

27

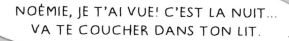

NOÉMIE, JE T'AI VUE! C'EST LA NUIT...
VA TE COUCHER DANS TON LIT.

La petite sœur de David est une peste.
Impatient, il la tire de sa cachette
et fige de surprise. Sa sœurette
a beaucoup changé!

28

Suite à la page 34.

MODE D'EMPLOI POUR AVOIR LA PAIX

1 Mettre cette affiche bien en vue.

NE PAS DÉRANGER

2 Poser un bol de bonbons ici. Les gens resteront à l'extérieur.

3 Enclencher le système d'alarme.

seuil à ne pas franchir

boîtes de conserve

4 Si l'intrus a franchi toutes les barrières, plaignez-vous à vos parents en faisant des yeux piteux.

FIN

29

Le robot grimpe sur le lit!
Il s'accroche aux couvertures
avec ses petites mains en
pinces. David se recule et
se retrouve coincé entre le
mur et le jouet maléfique.
Il ouvre la bouche pour
appeler à l'aide, mais il
n'émet aucun son.

CRIII...

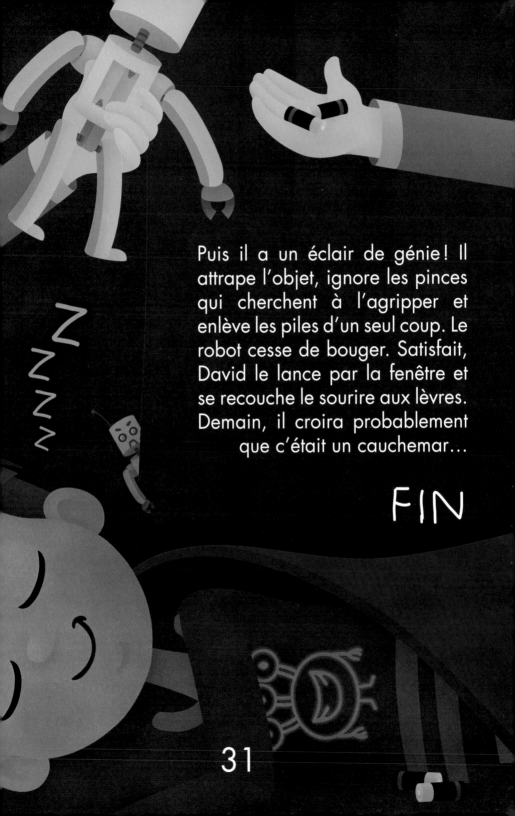

Puis il a un éclair de génie! Il attrape l'objet, ignore les pinces qui cherchent à l'agripper et enlève les piles d'un seul coup. Le robot cesse de bouger. Satisfait, David le lance par la fenêtre et se recouche le sourire aux lèvres. Demain, il croira probablement que c'était un cauchemar...

FIN

À peine David a-t-il le temps de s'inquiéter qu'un rayon le paralyse. Il ne peut désormais contrôler que ses yeux, qui regardent dans tous les sens, apeurés.

Comble du malheur, son vaisseau spatial et son Martien se mettent aussi à scintiller et à éclairer la pièce. Ils se déplacent sans même que David puisse protester !

33

Suite à la page 38.

Sans plus d'explication,
elle ouvre la fenêtre et
s'envole dans la nuit.
David reste pendant
des heures à regarder
le ciel. Il espère qu'elle
reviendra au matin...

FIN

36

D : drôle
A : adorable
V : vif
I : intelligent
D : déterminé

BÉA

37

FIN

Des rayons lumineux fusent de toutes parts. David ferme les yeux, craignant de devenir aveugle.

Il pense à ses parents qui dorment sur leurs deux oreilles alors qu'il vit peut-être les derniers instants de sa courte vie. Après ce qui semble de longues minutes, les lasers et les grincements s'arrêtent. David ouvre lentement les yeux. Quelle surprise ! Ses trois jouets reposent sur leur étagère respective et toute la chambre est rangée ! Des jouets qui font le ménage ! Génial ! Il s'endort le sourire aux lèvres. Il vient de vivre le plus beau moment de sa vie !

FIN

Félicitations!

Tu viens d'accomplir un travail digne des plus grands auteurs. As-tu découvert un nouveau genre littéraire? Je t'invite à peaufiner ton style à travers d'autres aventures!